PELLERIN

L'ÉPERVIER

Le Rocher du crâne

DUPUIS

www.dupuis.com/epervier
www.epervier.com

R.5/2010.
ISBN 978-2-8001-2178-9 — D.1995/0089/23
© Dupuis, 1995.
Tous droits réservés.
Imprimé en Belgique.

Cet album a été imprimé sur papier issu de forêts
gérées de manière durable et équitable.

www.dupuis.com

LA NUIT ÉTAIT TOMBÉE SUR BREST. ET DANS LE CHANTIER NAVAL DÉSERT, LA LUNE EXHUMAIT LES SQUELETTES LIVIDES DES GIGANTESQUES VAISSEAUX EN CONSTRUCTION...

TRRiiiiiii

1

LE CHIEN! **ABATTEZ-LE!**

PAW PAW

DE TOUTE FAÇON, IL POURRA PAS ALLER PLUS LOIN QUE LA PROUE! IL EST FAIT!

TONNERRE! CES IMBÉCILES L'ONT MANQUÉ!

HI,HI,HI! ON VA CUEILLIR CET IDIOT À SA DESCENTE!

?! JE LE VOIS PLUS!

KRAK

3

BON DIEU ! CE HURLEMENT ...

QUELLE HORREUR !

4

IMBÉCILE !

TU PENSAIS PEUT-ÊTRE POUVOIR ME MANŒUVRER ?...

ADIEU, MORVAN !

INUTILE DE ME MENACER, MARAUD, TU N'AURAS PAS UN LIARD !

ALORS, JE **PARLERAI**, MONSIEUR DE VILLENEUVE !

JE RÉVÉLERAI À TOUS COMMENT VOUS AVEZ **TUÉ MONSIEUR DE KERMELLEC ET PROFANÉ LE TOMBEAU DE SON PÈRE**...

CE SERA TA PAROLE CONTRE LA MIENNE. TU N'AS AUCUNE PREUVE !

DÉTROMPEZ-VOUS, MONSEIGNEUR ! LE PISTOLET AVEC LEQUEL VOUS AVEZ TUÉ MONSIEUR LE COMTE...C'EST MOI QUI L'AI RAMASSÉ APRÈS VOTRE FUITE... ET...IL PORTE VOTRE CHIFFRE !

ORDURE ! OÙ EST-IL ?

?

OÙ L'AS-TU CACHÉ ? PARLE !

LÀ...LÂCHEZ-MOI !

OÙ EST CE PISTOLET ? PARLE ! OU JE TE TUE !

D...DANS LE COFFRE AU PIED D...DE MON LIT !

MAIS... QUE FAITES-VOUS ? Y...VOUS N'ALLEZ PAS ...?

NON... NON !

TROUVONS CE PISTOLET À PRÉSENT ...

MON DIEU, MADAME ! COMME JE M'EN VEUX D'AVOIR ÉTÉ ABSENT DE KERMELLEC CES JOURS-CI !...

ALLONS, VALENTIN... VOUS NE POUVIEZ PAS SAVOIR. ET PUIS... CELA N'AURAIT RIEN CHANGÉ ...

7

AU MOINS, J'AURAIS PU ASSISTER MONSIEUR LE COMTE ... DANS SES DERNIERS INSTANTS ...

HÉLAS, VALENTIN! PERSONNE N'A PU LE FAIRE!

IL EST MORT **SEUL**! SEUL FACE À SON MEURTRIER!

..."SON MEURTRIER... MA DOUÉ! IL M'EST DOULOUREUX D'APPELER AINSI LE CHEVALIER! VOTRE GRAND-PÈRE L'AIMAIT TELLEMENT!...

KERMEUR? MON GRAND-PÈRE AIMAIT KERMEUR?... ILS SE **CONNAISSAIENT** DONC?

BIEN SÛR! DE LONGUE DATE! COMMENT?... VOUS IGNOREZ QUE YANN DE KERMEUR A PASSÉ ICI UNE PARTIE DE SON ENFANCE?!...

ICI? À KERMELLEC?

IL EST VRAI QUE C'ÉTAIT AVANT VOTRE NAISSANCE. PAR LA SUITE, IL EST PARTI AUX AMÉRIQUES ET...

VALENTIN!

JE N'AI PAS LE TEMPS MAINTENANT... MAIS JE VEUX CONNAÎTRE LA SUITE DE CETTE HISTOIRE! VIENS ME VOIR APRÈS LE REPAS! TU ME RACONTERAS!

BIEN, MADAME!

... LUI RACONTER QUOI?... UNE HISTOIRE D'AMITIÉ ACHEVÉE DANS LE SANG?...

SEIGNEUR! COMMENT YANN A-T-IL PU PERPÉTRER CETTE HORREUR?...

8

UN BAIN ! CET ÂNE N'A RIEN TROUVÉ DE MIEUX QUE DE PRENDRE UN BAIN !

MORBLEU, YANN ! JE COMPRENDS PAS CETTE MANIE QUE TU AS DE TE BAIGNER SANS CESSE !

HMM... ÇA SE SENT ! TU PUES COMME VINGT BOUCS !

ENFIN, YANN, COMMENT PEUX-TU RESTER À TE PRÉLASSER DANS UN CUVEAU D'EAU CHAUDE, APRÈS TOUT CE QUE TU VIENS DE M'APPRENDRE ?...

BON SANG ! T'AS TOUJOURS EU L'ART DE TE FOURRER DANS DE SALES PÉTRINS, MAIS CETTE FOIS, TU DÉPASSES LA MESURE...

... RÉUSSIR À PERDRE EN QUELQUES HEURES TON NAVIRE, TON ÉQUIPAGE ET QUASIMENT TOUS TES BIENS POUR UN CRIME QUE TU N'AS MÊME PAS COMMIS... VOILÀ QUI RELÈVE DE L'EXPLOIT...

TU NE VAS PAS ME REPROCHER D'ÊTRE INNOCENT TOUT DE MÊME ?

ET TA CONDUITE DANS CETTE AFFAIRE ? MA PAROLE ! TU T'ES COMPORTÉ COMME UNE VIEILLE FEMME APEURÉE. AH ÇA, J'AURAIS VOULU ÊTRE À KERMELLEC POUR LE VOIR !

TOI... L'ÉPERVIER DE CROZON, ROSSÉ PAR DES VALETS DE FERME ET MENÉ À PENDRE COMME UN CHAPON...

OH ! ARRÊTE TES SERMONS, TU VEUX ?

... SANS PARLER DE TA FUITE DE BREST DANS LES JUPES DE CETTE ...CETTE ...

LE MOT...PUTAIN VOUS ÉCORCHERAIT-IL LA BOUCHE, MAÎTRE CAROFF ?

PEUH !... EN TOUT CAS, SI L'ÉCHO DE CETTE AVENTURE VIENT À SE RÉPANDRE, ON SE GAUSSERA DE L'ÉPERVIER DANS TOUS LES PORTS DE LA CÔTE...

QUE VEUX-TU...? LA MORT DU COMTE DE KERMELLEC M'A COMPLÈTEMENT RETOURNÉ LES SANGS!...

9

ENFIN, BON DIEU! C'ÉTAIT PAS LE PREMIER CADAVRE QUE TU VOYAIS?...

PARBLEU NON! MAIS CETTE MORT-LÀ M'A TOUCHÉ PLUS QU'UNE AUTRE!

J'AIMAIS CE VIEIL HOMME, CAROFF! C'EST TOUT UN PAN DE MON ENFANCE QUI S'EST EFFACÉ AVEC LUI!... ET DE ME VOIR, EN PLUS, ACCUSÉ DE SA MORT...

C'EST BIEN LÀ LE PLUS GRAVE!

T'AURAS JAMAIS LA POSSIBILITÉ DE TE DISCULPER DE CETTE ACCUSATION!

À MOINS DE RETROUVER **LE VÉRITABLE MEURTRIER** ET DE LE **FAIRE AVOUER**!

CROIS-TU QU'ON T'EN LAISSERA LE TEMPS? T'AS DÉJÀ LA MOITIÉ DE LA PROVINCE AUX FESSES... ET L'AUTRE MOITIÉ TARDERA PAS À SE RAMENER ICI...

C'EST PROBABLE! SI CES FUMIERS TORTURENT NOS GARS...

ILS LE FERONT, YANN!

OUAIS! ILS **LE FERONT**! ET ALORS...

... ALORS, CET ENRAGÉ DE DE LA MOTTE SERA LE PREMIER À RAPPLIQUER! J'EN FAIS LE PARI. DEPUIS CE MATIN, CE PETIT MARQUIS S'ACCROCHE APRÈS MOI COMME UN CHANCRE!

JE LE SOUPÇONNE DE PROFITER DE L'INFORTUNE QUI ME FRAPPE AUJOURD'HUI POUR ASSOUVIR DE VIEILLES RANCUNES ET SE SAISIR DE MES BIENS!

?! TU CROIS QUE L'ARRAISON-NEMENT DE LA **MÉDUSE** EST SON FAIT?

QUI D'AUTRE AURAIT OSÉ S'EMPARER D'UN **VAISSEAU DU ROI**?

DE TOUTE FAÇON, DE LA MOTTE, OU PAS, FAUT SE PRÉPARER À SUBIR TRÈS VITE UNE ATTAQUE EN RÈGLE!

NON! IL FAUT **PARTIR AVANT**!

QUOI?

PARTIR? ALORS QUE NOUS POUVONS TENIR UN SIÈGE?

AVEC **QUINZE HOMMES**? ET TOUTES NOS PROVISIONS À BORD DE LA MÉDUSE? IL FAUT PARTIR, TE DIS-JE!

10

JE NE COMPRENDS PLUS, YANN! IL Y A UNE HEURE À PEINE, TU M'AFFIRMAIS QU'*ICI*, NOUS SERIONS EN SÉCURITÉ!...

C'ÉTAIT IL Y A UNE HEURE, MARION! J'AI RÉFLÉCHI DEPUIS.. ET J'AI COMPTÉ NOS FORCES!

MAIS NOUS AVONS DES ARMES, DES MUNITIONS! *NOUS NOUS BATTRONS!*

PEUH! ILS NE NOUS EN DONNERONT MÊME PAS L'OCCASION! ILS SE CONTENTERONT DE FERMER LA BAIE ET DE NOUS REGARDER CREVER DE FAIM ET DE SOIF...

PLUTÔT CREVER QUE DE FUIR COMME UN LÂCHE!

POURQUOI NOUS FAIRE MASSACRER DANS UN COMBAT PERDU D'AVANCE, QUAND LES QUELQUES HOMMES ET LES ARMES QUI NOUS RESTENT PEUVENT SERVIR *À REPRENDRE LA MÉDUSE ET À DÉLIVRER MON ÉQUIPAGE?*

CE N'EST PAS MON AVIS!

BON SANG, YANN, TU ES SÉRIEUX? TU SONGES VRAIMENT À...

POUR QUELLES RAISONS SERAIS-JE REVENU, SINON POUR CHERCHER DE L'AIDE ET DES ARMES?...

HUMM... ÉVIDEMMENT... ÇA CHANGE TOUT!

C'EST UNE PLAISANTERIE?

VOUS N'IMAGINEZ TOUT DE MÊME PAS ATTAQUER LE CHÂTEAU DE BREST AVEC UNE POIGNÉE D'HOMMES?

...SANS PARLER DE TOUS LES SOLDATS QUI SONT À BORD DE LA MÉDUSE?...

DITES! VOUS M'ÉCOUTEZ?

QUAND ENVISAGERAIS-TU CE DÉPART?

LE PLUS *TÔT* POSSIBLE! À LA *MARÉE DE DEMAIN MATIN!*

HEIN? QUOI? *CETTE NUIT?*

AH, AH, AH! VENTREDIEU! IL ME TARDE DE VOIR LA MINE QUE TIRERA CE PIRATE DE KERMEUR QUAND NOUS SURGIRONS DANS SA GROTTE!

À SUPPOSER QUE CETTE GROTTE *EXISTE*... ET QUE *LUI-MÊME Y SOIT,* MONSEIGNEUR!

TOUJOURS AUSSI RABAT-JOIE, DU BOT!

JE ME CONTENTE DE VOUS RAPPELER QUE NOUS AVONS MONTÉ CETTE EXPÉDITION HÂTIVE SUR LES SEULS DIRES D'UN BRIGAND SOUMIS À LA QUESTION!

RIEN NE NOUS GARANTIT LEUR VÉRACITÉ!

MAZÉ! TON AVIS! TU ÉTAIS PRÉSENT QUAND CE MISÉRABLE A PARLÉ!

IL A DIT VRAI, MONSEIGNEUR! IL EST DES ACCENTS QUI NE TROMPENT PAS!

IL NOUS A DONNÉ DE TELLES PRÉCISIONS SUR LA GÉOGRAPHIE ET LES PARTICULARITÉS DE L'ENDROIT QUE JE N'AI AUCUN DOUTE LÀ-DESSUS!

PARFAIT! LE CHAPITRE EST CLOS!

QUANT À SAVOIR SI KERMEUR SE RENDRA DANS CE LIEU, C'EST L'ÉVIDENCE MÊME!

C'EST LE DERNIER REFUGE QUI LUI RESTE. IL VA TENTER DE S'Y FAIRE OUBLIER, CONFIANT DANS L'INVIOLABILITÉ DE SA RETRAITE. L'IMBÉCILE! IL VA REGRETTER CETTE CONFIANCE!

LA MER SERA HAUTE À...5H45! AJOUTE UNE HEURE D'ÉTALE, PLUS UNE DEMI-HEURE DE MER DESCENDANTE POUR PERMETTRE À L'HIRONDELLE DE PASSER LA VOÛTE ...

ÇA NOUS DONNE UN DÉPART VERS ...7h.

ET IL EST...18H45! CE QUI NOUS LAISSE À PEU PRÈS **12 HEURES** POUR DÉGUERPIR!

ALLONS... PENDANT QUE CES DEUX BRAVES PRÉPARENT LE MEILLEUR MOYEN DE NOUS FAIRE EXTERMINER... EXPLORONS LES LIEUX.

12 HEURES... C'EST TROP PEU, YANN!...BIEN TROP PEU!

CE SERA SUFFISANT!

14

15

HUM! CETTE JOIE N'EST-ELLE PAS UN PEU PRÉMATURÉE? SON REPAIRE SEMBLE PARTICULIÈREMENT BIEN DÉFENDU!

PAR **QUOI**? PAR **QUI**? DEUX CENTS DE SES HOMMES SONT AUX FERS AU CHÂTEAU! JE DOUTE QU'IL LUI EN RESTE ENCORE BEAUCOUP POUR ASSURER SA DÉFENSE!...

ILS N'EN SERONT QUE PLUS DANGEREUX À SE BATTRE, AINSI ACCULÉS! ET PUIS, VOUS CONNAISSEZ LA RÉPUTATION DE **L'ÉPERVIER** AU COMBAT!

"... SA RÉPUTATION? AH, AH, AH, FOUTAISES! IL L'A OBTENUE DANS LES SALONS DE VERSAILLES, OÙ IL A SÉDUIT PAR SON PASSÉ DE GALÉRIEN ET DE PIRATE ..."

JE CONNAIS CE GENRE D'AVENTURIER! IL SE DÉGONFLERA COMME UNE OUTRE EN NOUS VOYANT PARAÎTRE!

J'AIMERAIS EN ÊTRE AUSSI SÛR, MONSEIGNEUR! CETTE "OUTRE" NOUS TIENT TÊTE DEPUIS CE MATIN!

LA CHANCE, DU BOT, SEULEMENT LA CHANCE!

DIS DONC...

AVANT D'ALLER EXPLIQUER AUX GARS TOUS LES ENNUIS QUI LES ATTENDENT, J'AIMERAIS QUAND MÊME CONNAÎTRE NOTRE DESTINATION!

HMM...

JE PRÉFÉRERAIS QU'ELLE RESTE SECRÈTE JUSQU'À CE QUE NOUS SOYONS EN MER!

JE VOIS!

C'EST ENCORE TELLEMENT TORDU QUE T'AS PEUR QUE JE REFUSE ...

ON NE PEUT RIEN TE CACHER!

15

17

CEPENDANT, AU CHÂTEAU DE BREST...

T'AIMES MIEUX ATTENDRE SANS BRONCHER QU'ON NOUS PENDE POUR PIRATERIE ?

NOUS ÉVADER ? SEIGNEUR ! ON S'RAIT ABATTUS AVANT D'AVOIR MIS L'NEZ DEHORS !

NON, BIEN SÛR, MAIS ...

AUCUNE AIDE EXTÉRIEURE NE NOUS FERA SORTIR DE CE TROU. ON NE PEUT PLUS COMPTER QUE SUR NOUS-MÊMES !

L'ÉPERVIER NOUS ABANDONNERA PAS ! Y VIENDRA NOUS TIRER D'AFFAIRE !

MÊME S'IL EST ENCORE EN VIE, C'EST PAS AVEC LES QUATRE GARS QUI LUI RESTENT QU'IL POURRAIT DONNER L'ASSAUT ICI !...

D'AUTANT QUE CES QUELQUES-LÀ RISQUENT FORT D'ÊTRE PASSÉS À TRÉPAS D'ICI DEMAIN... VOUS AVEZ ENTENDU LE GOUVERNEUR ?...LA TROUPE EST EN ROUTE POUR ATTAQUER ROC'H AN ANKOU!

MAIN DE FER A RAISON ! FAUT S'EN TIRER TOUT SEULS !

AH OUAIS?ET COMMENT QU'TU VAS FAIRE ÉVADER D'UN COUP DEUX CENTS PERSONNES ?

PAR LES SOUTERRAINS !

LES QUOI ?

LES SOUS-SOLS DU CHÂTEAU SONT TRUFFÉS DE PASSAGES ET DE GALERIES QUI REMONTENT À PLUSIEURS SIÈCLES !

ET TI-LOUIS CONNAÎT LEURS EMPLACEMENTS !

?!

YA! J'Y AI TRAVAILLÉ AUTREFOIS, AVEC MON PÈRE, POUR LES REMETTRE EN ÉTAT !

BON DIEU ! EXPLIQUE-NOUS ÇA !

MON COUSIN ? JE NE VOUS ATTENDAIS PLUS !

16

18

DEPUIS BIENTÔT UNE DEMI-HEURE, JE FAIS CHERCHER APRÈS VOUS. JE M'INQUIÉTAIS! VOUS AURIEZ PU CHUTER... NOTRE FALAISE EST SI ABRUPTE!

MILLE PARDONS, CHÈRE AGNÈS, DE VOUS AVOIR CAUSÉ CE TOURMENT!

PERDU DANS MES PENSÉES... J'EN AI OUBLIÉ L'HEURE!

VOUS ÊTES TOUT PÂLE ?...

L'EXCÈS D'AIR PUR, SANS DOUTE!

VENEZ VOUS RESTAURER, MON AMI. CELA VOUS REMETTRA!

...ELLE EST SPLENDIDE!

...COMME J'AIMERAIS PORTER UN JOUR UNE TELLE ROBE...

VOILÀ UN DÉSIR BIEN FACILE À CONTENTER...

MON DIEU, YANN! D'OÙ VIENNENT TOUTES CES MERVEILLES ?

DES CALES DU HAWK, UN BÂTIMENT ANGLAIS QUE NOUS AVONS CAPTURÉ CET ÉTÉ DANS LES CARAÏBES! PRISE DE GUERRE!

DE GUERRE... VRAIMENT ? JE PENSAIS PLUTÔT À DE LA CONTREBANDE...

MARION! TU PARLES À UN CORSAIRE DU ROI!...

EH BIEN, CORSAIRE, DIS-MOI! C'EST BIEN VRAI?... JE POURRAI L'AVOIR CETTE ROBE ?

17

CHRIST! TU AS UNE FAÇON DE DEMANDER TRÈS...PERSUASIVE!

NE TE MOQUE PAS! J'AVAIS ENVIE DE CE BAISER DEPUIS QUE JE T'AI RECUEILLI DANS LE PORT!

CAROFF A RAISON! TU ES PLUS DANGEREUSE QU'UNE LAME D'ÉPÉE!

MA FOI! TU M'AS L'AIR D'APPRÉCIER ASSEZ CE DANGER-LÀ!

HMM... POUR MA... TRANQUILLITÉ D'ESPRIT ET CELLE... DE MES GARS, IL SERAIT PEUT-ÊTRE PRÉFÉRABLE QUE TU PORTES DÈS À PRÉSENT DES HABITS D'HOMME!

QUOI?

D'AILLEURS... TU SERAIS PLUS À TON AISE...

FI! EN VOILÀ DES BRAVES! PARÉS AUX PIRES DANGERS, MAIS SAISIS D'EFFROI DÈS QU'UN JUPON LES FRÔLE!

JE NE VOULAIS PAS TE VEXER!

SI MES VÊTEMENTS TE DÉPLAISENT À CE POINT, VIENS LÀ M'AIDER À LES ÔTER... SI TU L'OSES!...

JE TE PROMETS DE NE PAS ABUSER DE TA VERTU!

SOTTE!

ALLONS! PLUS VITE! RASSEMBLEZ-VOUS!

PAR ICI!

COMMENCEZ À DÉBARQUER LES CHEVAUX!

Y S'RAIT TEMPS! VOS MAUDITS BESTIAUX SONT EN TRAIN DE DÉMOLIR TOUT MON BORDAGE!

18

LEQUEC!

MONSEIGNEUR?

SITÔT QUE TA MONTURE SERA REMISE DE SA TRAVERSÉE, FILE SANS ATTENDRE SUR CAMARET!

TU IRAS VOIR MONSIEUR DU FAOUEDIC QUI COMMANDE AUX COMPAGNIES FRANCHES ET AUX MILICES DU FORT VAUBAN!

AVEC SES CANONS ET SES NAVIRES GARDE-CÔTES, LUI SEUL PEUT EMPÊCHER TOUTE FUITE PAR MER DE KERMEUR!

IL NOUS FAUT SON APPUI!

YANN! JE CROIS QUE...

OH...

EH BIEN, MAÎTRE CAROFF, POURQUOI CES ROUGEURS? VOUS N'AVEZ JAMAIS VU UNE FEMME NUE?

EUH! JE...

IL M'AVAIT POURTANT SEMBLÉ VOUS RECONNAÎTRE L'AUTRE SOIR, EN COMPAGNIE DE MON AMIE SOIZIC! ELLE N'ÉTAIT GUÈRE PLUS HABILLÉE...

ET DANS UNE POSITION INFINIMENT PLUS SCABREUSE!

AH, AH, AH, LA PETITE GARCE!

VIENS! LAISSONS-LA SE RENDRE PLUS DÉCENTE!

AINSI... TOI ET SOIZIC? HÉ... C'EST VRAI QU'ELLE A DE JOLIS...

SACREDIEU! ARRÊTE TES ENFANTILLAGES! AS-TU DÉJÀ OUBLIÉ LA MORT DE CHA-KA ET LE TRISTE SORT DE NOS COMPAGNONS?

TU FERAIS MIEUX DE T'EN PRÉOCCUPER AU LIEU DE PERDRE TON TEMPS À FLEURETER AVEC CETTE... CRÉATURE!

19

CETTE...CRÉATURE M'A SAUVÉ LA VIE IL Y A QUELQUES HEURES À PEINE !

SANS DOUTE ! MAIS SA PLACE N'EST PAS ICI !

ET LE MOMENT EST MAL CHOISI POUR LA TROUSSER, ALORS QUE TU DEMANDES AUX HOMMES DES EFFORTS IMPOSSIBLES !

ÇA VA ! J'AI EU TORT ! MAIS CESSE DE GROGNER, ET DIS-MOI PLUTÔT CE QUI TE TRACASSE !

C'EST "L'HIRONDELLE", YANN ! VA FALLOIR L'ABANDONNER !

QUOI ?

TOUT LE BORDÉ EST POURRI, CAP'TAINE ! UNE RÉPARATION DE FORTUNE SUFFIRA PAS ! FAUT TOUT REMPLACER ET CALFATER À NEUF...

ENFER !

Y'A PLUS QU'À ATTENDRE LA BASSE MER POUR Y METTRE LE CUL AU SEC À CETTE SALOPE !

MAIS C'EST DANS TROIS HEURES...

OUAIS ! ET APRÈS, S'AGIRA ENCORE D'EFFECTUER LES RÉPARATIONS !

ELLE SERA JAMAIS PRÊTE À TEMPS POUR LE DÉPART ! FAUT L'ABANDONNER, J'TE DIS !

PAS QUESTION !

PISSE-ROIDE ! EN EMPLOYANT TOUS LES BRAS ET EN UTILISANT LES CANONS EN GUISE DE CONTREPOIDS, UN **ABATTAGE** PRENDRAIT COMBIEN DE TEMPS ?

EN DEMI-CARÈNE ? OH ! ÇA DEVRAIT PAS EXCÉDER UNE HEURE !

DIABLE ! ON GAGNERAIT DEUX HEURES PAR RAPPORT À L'ÉCHOUAGE ! T'AS RAISON ! ÇA VAUT LA PEINE D'ÊTRE TENTÉ !

ALORS, AU TRAVAIL !

20

LEQUEC! TU VEILLERAS À CE QUE LE COMMANDANT DU FORT APPLIQUE SCRUPULEUSEMENT MES ORDRES! EN PARTICULIER, QU'IL FASSE INSPECTER TOUS LES BÂTIMENTS QUI PASSERONT À PORTÉE DE SES CANONS!

ET LES NAVIRES, MONSEIGNEUR? JE DOUTE QU'IL AIT LE TEMPS DE LES ARMER ET D'Y CHARGER SES TROUPES AVANT LE MATIN!

IL LE FERA POURTANT. C'EST UN ORDRE! JE VEUX CES NAVIRES DEVANT LA POINTE DE DINAN AU LEVER DU JOUR!

BONNE NUIT, MON COUSIN!

QUEL TOURMENT PEUT LUI ASSOMBRIR L'HUMEUR À CE POINT?

IL N'A PAS DESSERRÉ LES DENTS DE TOUT LE REPAS!

PENSEZ-VOUS RÉELLEMENT QUE MONSIEUR DU FAOUEDIC APPLIQUERA VOS ORDRES SANS BRONCHER?...

JE COMPTE SUR LEQUEC POUR LUI FAIRE COMPRENDRE SON...INTÉRÊT!...

MAIS ASSEZ PERDU DE TEMPS! DU BOT! RASSEMBLEZ LES HOMMES, ET EN ROUTE POUR LA POINTE DE DINAN!

21

YA! ELLE VA SERVIR À RAIDIR UN PALAN JUSQU'À C'POINT D'ANCRAGE FORMÉ PAR LES CANONS. APRÈS, SUFFIRA D'TIRER SUR LE GARAN ET C'TE GARCE D'HIRONDELLE S'ALLONGERA GENTIMENT POUR NOUS MONTRER SA CARÈNE.

DU NERF, CORNEDIEU !

TU VOIS, FRANGINE, CETTE CALIORNE QU'YVON VIENT D'FRAPPER À LA TÊTE DU MÂT ?

LA GROSSE POULIE, LÀ-HAUT ?

C'EST QUAND MÊME PAS CES JOUJOUX QUI VONT VOUS FATIGUER LES BRAS ! PAROLE ! ON CROIRAIT QUE VOUS SOULEVEZ DU 36* !

HMM... VAUDRAIT P'T-ÊT'MIEUX QU'TU DÉHALES MAINT'NANT, SINON PISSE-ROIDE ...

ÇA VA ! J'AI COMPRIS !

* CANONS DE 36 LIVRES. LES PLUS GROS...

MA CHÈRE COUSINE EST DÉCIDÉMENT BIEN CURIEUSE...

MAIS J'AURAIS TORT DE M'ALARMER DES QUESTIONS INSIDIEUSES DE CETTE PETITE DINDE !

À PRÉSENT QUE J'AI ÉLIMINÉ LE DERNIER TÉMOIN GÊNANT ET RÉCUPÉRÉ MON ARME, JE SUIS INSOUPÇONNABLE !

CE QUI N'EST PAS LE CAS DE CE PAUVRE KERMEUR ... AVEC TOUTES LES PREUVES QUI L'ACCABLENT, CET IMBÉCILE FAIT UN COUPABLE IDÉAL !

MAIS BASTE ! LAISSONS-LE À SON SORT PRÉVISIBLE ET OCCUPONS-NOUS D'AFFAIRES PLUS PASSION-NANTES !

22

24

DIS-MOI, VALENTIN! POUR QUELLES RAISONS GRAND-PÈRE L'A-T-IL RECUEILLI?

SON PÈRE, LE BARON DE KERMEUR, VENAIT DE MOURIR DANS UN DUEL STUPIDE, ALORS QUE LUI N'AVAIT PAS CINQ ANS!

ET SA MÈRE, ACCABLÉE DE DOULEUR, AVAIT TENTÉ DE S'EMPOISONNER ET LUTTAIT CONTRE LA MORT. YANN RESTAIT SEUL DANS UN MANOIR EN RUINE...

LE BARON DE KERMEUR N'ÉTAIT QU'UN PETIT HOBEREAU, COUVERT DE DETTES, MAIS IL AVAIT, AUTREFOIS, COMBATTU LES ANGLAIS AVEC VOTRE GRAND-PÈRE. EN SOUVENIR DU PASSÉ, MONSIEUR LE COMTE PRIT AVEC LUI LE JEUNE GARÇON.

C'EST AINSI QUE JE L'AI VU POUR LA PREMIÈRE FOIS, SAUVAGE, CRASSEUX, BARAGOUINANT À PEINE TROIS MOTS DE FRANÇAIS.

MAIS IL AVAIT LE CARACTÈRE FIER ET NOBLE. ET MONSIEUR LE COMTE S'ATTACHA VITE À LUI COMME À UN FILS, PASSANT DE LONGUES HEURES À LUI ENSEIGNER LES ARMES OU L'ÉQUITATION.

COMME C'EST ÉTRANGE, VALENTIN? J'AI LES MÊMES SOUVENIRS!

OUI! JE CROIS QU'IL A ESSAYÉ AVEC VOUS, PLUS TARD, CE QUI A ÉCHOUÉ AVEC YANN, FAUTE DE TEMPS.

CAR LE BONHEUR DE L'ENFANT NE DURA QUE TROIS COURTES ANNÉES. SA MÈRE, BIEN QU'À MOITIÉ FOLLE, S'ÉTAIT REMARIÉE AVEC UN RICHE MARCHAND QUI AVAIT DES TERRES AUX AMÉRIQUES.

ELLE RÉSOLUT D'EMMENER L'ENFANT AVEC ELLE...

23

25

LES ANNÉES PASSÈRENT, SANS NOUVELLES DE YANN. VOTRE GRAND-PÈRE PARCOURAIT LE MONDE À LA RECHERCHE D'OBJETS ARCHÉOLOGIQUES ET DE FOSSILES POUR ENRICHIR SES COLLECTIONS...

ET PUIS, IL Y A DIX ANS, DANS L'ÎLE DE CAYENNE, EN GUYANE ÉQUINOXIALE...

MONSEIGNEUR! PERMETTEZ-MOI DE VOUS PRÉSENTER VOTRE GUIDE ... YANN DE KERMEUR!

YANN ? MA DOUÉ... C'EST TOI ?

?

L'ENFANT ÉTAIT DEVENU UN HOMME, PORTEUR D'UN PASSÉ TUMULTUEUX, DONT IL NE PARLAIT GUÈRE. MAIS, AVEC MONSIEUR LE COMTE, LES FILS S'ÉTAIENT RENOUÉS, ABOLISSANT LE TEMPS...

ILS NE SE QUITTAIENT PLUS, PARLANT DES NUITS ENTIÈRES, LOIN DES OREILLES INDISCRÈTES.

UN JOUR, SUR LES BORDS DE L'OYAPOCK, VOTRE GRAND-PÈRE FUT EN GRAND PÉRIL. YANN LUI SAUVA LA VIE, MAIS RISQUA DE PERDRE UN ŒIL...

MON FILS! MON FILS! TU ES VIVANT ?

NOTRE EXPÉDITION EN GUYANE FUT UN DÉSASTRE ! LES PLUIES DILUVIENNES, LES FIÈVRES NOUS OBLIGÈRENT À REBROUSSER CHEMIN. MAIS POUR MON MAÎTRE, D'AVOIR REVU CELUI QU'IL CROYAIT PERDU VALAIT TOUS LES TRÉSORS...

LAS! NOS CHEMINS SE SÉPARÈRENT DE NOUVEAU, POUR LONGTEMPS. NOUS REPARTÎMES EN FRANCE ET KERMEUR À SA VIE AVENTUREUSE ...

24

CE N'EST QU'IL Y A UN MOIS QUE J'APPRIS FORTUITEMENT SA PRÉSENCE À BREST. J'EN INFORMAI MONSIEUR LE COMTE, QUI, EN MON ABSENCE, LUI DÉPÊCHA LEGUEN, IL Y A... DEUX JOURS!

QUOI?

J'AI QUESTIONNÉ LEGUEN. IL A BIEN TRANSMIS AU CHEVALIER UN MESSAGE DE VOTRE GRAND-PÈRE QUI LUI DONNAIT RENDEZ-VOUS DANS L'ORANGERIE, LA NUIT DERNIÈRE!

D... DANS L'ORANGERIE? MAIS ON LES A RETROUVÉS TOUS LES DEUX DANS LA CHAPELLE?

JE COMPRENDS TON TROUBLE, MAINTENANT QUE JE SAIS TOUT CELA.

OUI! JE NE M'EXPLIQUE PAS CE MYSTÈRE... TOUT COMME JE NE M'EXPLIQUE PAS CE CRIME!

QUE S'EST-IL PASSÉ ENTRE EUX CETTE NUIT-LÀ POUR QUE KERMEUR METTE FIN SI BRUTALEMENT À LEUR LONGUE AMITIÉ?

IL Y A AUTRE CHOSE, MADAME! LA STATUETTE! CELLE QUI ÉTAIT DANS LA TOMBE DU MARQUIS!... ELLE A DISPARU!

UNE STATUETTE? QUELLE STATUETTE? JE N'AI JAMAIS...

VOILÀ! QUAND LE MARQUIS, LE PÈRE DE MONSIEUR LE COMTE EST MORT, IL Y A TRENTE ANS...

ENFER! IL N'Y A RIEN À TIRER DE CETTE STATUETTE!

J'AI BEAU LA RETOURNER EN TOUS SENS, DEPUIS HIER... RIEN! AUCUN SIGNE

POURTANT, JUSQU'À PRÉSENT, TOUT CONCORDE... LA CHAPELLE... L'IDOLE DANS LA SÉPULTURE DU MARQUIS... ALORS QUOI?

OÙ SONT LES INDICATIONS SUR LE LIEU DU NAUFRAGE ET L'EMPLACEMENT DU TRÉSOR? IL DOIT BIEN Y AVOIR UN ENDROIT...

TONNERRE! OÙ DONC UN MARIN COMME LE MARQUIS PEUT-IL AVOIR CONSIGNÉ UN TEL ÉVÉNEMENT... SINON DANS SON JOURNAL DE BORD!

BON SANG! C'EST LA QU'IL FAUT CHERCHER!

FAITES HÂTER L'ALLURE, CAPITAINE! NOUS NOUS TRAÎNONS!

À VOS ORDRES, MONSIEUR!

25

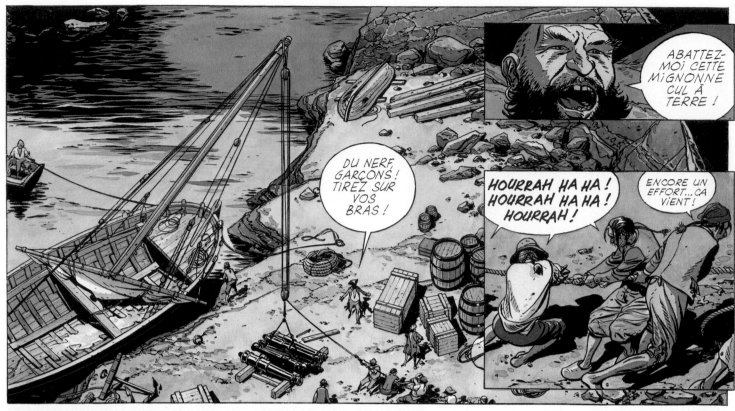

ABATTEZ-MOI CETTE MIGNONNE CUL À TERRE !

DU NERF, GARÇONS ! TIREZ SUR VOS BRAS !

HOURRAH HA HA ! HOURRAH HA HA ! HOURRAH !

ENCORE UN EFFORT... ÇA VIENT !

? T'AS ENTENDU LÀ, SUR BÂBORD? COMME UNE BARQUE QUI ACCOSTERAIT LE ROCHER...

À CETTE HEURE DE LA NUIT ?

LÀ ! DERRIÈRE LE PROMONTOIRE ! UN CANOT !

SANGDIEU ! T'AS RAISON. FAUT ALLER VOIR !

POURQUOI CETTE MINE SOUCIEUSE, YANN ? L'ABATTAGE, A POURTANT RÉUSSI. ...ET DANS LES DÉLAIS !...

NOUS AVONS UN AUTRE PROBLÈME...

QUE VEUX-TU DIRE ?

REGARDE TOI-MÊME ! EN PARTANT, NOUS PASSERONS INÉVITABLEMENT SOUS LE FEU DES CANONS DU FORT VAUBAN. ET SI DE LA MOTTE A EU LA BONNE IDÉE DE L'AVERTIR...

MORDIABLE !

26

"...MÊME SI NOUS TIRONS PLUS AU LARGE, IL LEUR SUFFIRA D'ENVOYER LES NAVIRES GARDE-CÔTES À NOS TROUSSES. CHARGÉS COMME NOUS SOMMES, NOUS SERONS ABATTUS AVANT D'AVOIR FAIT UN MILLE !"

"CRÉNOM ! QU'EST-CE QU'ON PEUT FAIRE ?"

FACILE ! IL SUFFIT D'ENCLOUER LES CANONS DU FORT ET DE DÉTRUIRE LES GARDE-CÔTES.

TU VEUX RIRE ? SI TU CROIS QU'ON A LE TEMPS DE MONTER UNE EXPÉDITION ?...

NON ! PAS UNE EXPÉDITION ! TU AS BESOIN DE TOUS LES GARS ICI ! J'IRAI SEUL !

QUOI ?

AU MÊME MOMENT, AU FORT VAUBAN À CAMARET ...

PALSAMBLEU ! MONSIEUR DE LA MOTTE S'IMAGINE QU'IL LUI SUFFIT DE COMMANDER POUR QUE LES CHOSES S'EXÉCUTENT D'ELLES-MÊME !

EN L'OCCURRENCE COMMANDANT, LA CHOSE EST D'IMPORTANCE. IL S'AGIT DE METTRE FIN AUX AGISSEMENTS D'UN CRIMINEL, PIRATE DE SURCROÎT !

JE NE NIE PAS L'INTÉRÊT NI L'URGENCE DE CETTE ACTION, LIEUTENANT, MAIS NOUS NE SOMMES PAS EN GUERRE ET IL FAUDRA DES HEURES POUR RASSEMBLER NOS MILICIENS ET DES DÉLAIS ENCORE PLUS LONGS POUR ARMER NOS GARDE-CÔTES !

DANS CE CAS... SI NOUS COMMENCIONS TOUT DE SUITE ?...

IMPOSSIBLE DE FERMER L'ŒIL, TANT DE MYSTÈRES D'UN SEUL COUP. PEUT-ÊTRE QU'UN PEU DE LECTURE ...

TIENS ! DE LA LUMIÈRE DANS LA BIBLIOTHÈQUE ?!...

27

?! PAR LA VIERGE !

"CE JOUR, VEILLE DE LA SAINT-LAURENT, À L'EMBOUCHURE DU MAHURY, LA TEMPÊTE NOUS DROSSA SUR UN RÉCIF, OÙ "L'ESPOIR" SE BRISA ..."

LE NAUFRAGE DE L'ESPOIR ! ET LÀ, SA POSITION EXACTE !

DIEU SOIT BÉNI ! LE TRÉSOR EST À MOI !

EH BIEN, MON COUSIN ?

AGNÈS ?

HEIN ? EUH... JE...

VOUS AVIEZ DES PROBLÈMES DE SOMMEIL VOUS AUSSI ?

NE VOUS TROUBLEZ PAS, VOYONS...

MAIS ? CES PAPIERS QUE VOUS TENEZ LÀ... ON DIRAIT :!!! ? LE LIVRE DE BORD DU MARQUIS !

HERVÉ ! COMMENT OSEZ-VOUS ?

QUI VOUS A PERMIS DE FOUILLER ICI ? REMETTEZ CELA EN PLACE, TOUT DE SUITE !

ARRIÈRE ! N'Y TOUCHEZ PAS !

YANN, JE T'EN PRIE ! NE ME LAISSE PAS TOUTE SEULE ... DANS CET ENDROIT SINISTRE !

ALLONS, MA CHÉRIE, CE N'EST QUE POUR QUELQUES HEURES. ET PUIS TU N'ES PAS SEULE ...

ET NE ME DIS PAS QUE C'EST LA COMPAGNIE DE MES HOMMES QUI T'EFFRAIE... TOI !

NON, YANN ! C'EST TON ÉLOI-GNEMENT !

LA PETITE PUTE VA SE TOURMENTER SANS CESSE PENDANT TON ABSENCE !

HMM... TOUCHÉ !

28

QUELLE MOUCHE VOUS PIQUE? VOUS VOILÀ BIEN ÉTRANGE TOUT À COUP! ALLONS! RENDEZ-MOI CE LIVRE QUE VOUS SERREZ SI FORT!

PAS QUESTION, MA COUSINE! IL M'APPARTIENT À PRÉSENT!

ON FAIT MOINS LA FIÈRE, HEIN?

SI VOUS CROYEZ QUE JE NE LIS PAS VOTRE JEU? PARDI! VOUS VOULEZ LE **TRÉSOR** POUR VOUS SEULE! MAIS JE NE ME LAISSERAI PAS DÉPOUILLER!

ET SI VOUS Y TENEZ TANT... IL FAUDRA VENIR LE CHERCHER!

LE TRÉSOR? POUR DE BON, VOUS ÊTES **FOU**!

LA PLAISANTERIE A ASSEZ DURÉ! RENGAINEZ SUR-LE-CHAMP! ET RENDEZ-MOI CE LIVRE! ALORS, J'OUBLIERAI PEUT-ÊTRE VOS EXTRAVAGANCES!...

SINON... JE ME VERRAI CONTRAINTE DE LE PRENDRE DE FORCE!

EN CROISANT LE FER AVEC MOI, SANS DOUTE? AH, AH, AH! VOILÀ QUI SERAIT PLAISANT!

PUISQUE VOUS INSISTEZ, MON COUSIN, JE VAIS ME FAIRE UN PLAISIR DE VOUS ÉGRATIGNER!

JE N'AI QUE FAIRE DE TES LEÇONS!

BOUGRE DE PETITE CATIN!

CROISER LE FER AVEC UNE FEMME? A-T-ON JAMAIS VU PAREILLE SOTTISE?

29

31

(1) DIEU VOUS GARDE, CAPITAINE !

IL EST RÉELLEMENT OBLIGÉ D'Y ALLER ?

IL N'A PAS D'AUTRE CHOIX ! SI ON NE SUPPRIME PAS LA PUISSANCE DE FEU DU FORT VAUBAN, INUTILE DE TENTER LE MOINDRE DÉPART !

"MAIS SEUL, FACE À UNE GARNISON ENTIÈRE, IL COURT AU SUICIDE !"

"IL NE SERA PAS SEUL. QUELQUES MEMBRES DE NOTRE ANCIEN ÉQUIPAGE ONT JETÉ LEURS AMARRES À CAMARET. IL COMPTE SUR LEUR AIDE !..."

"MALHEUREUSEMENT, LA MOITIÉ D'ENTRE EUX A PASSÉ DEPUIS LONGTEMPS L'ÂGE DES AVENTURES ET L'AUTRE MOITIÉ N'EST QU'UN RAMASSIS DE FRIPOUILLES, SON CHOIX SERA LIMITÉ..."

BONNE NUIT, MONSIEUR DE VILLENEUVE !

MMMH...

LA PESTE SOIT DU PORTIER ! DÈS DEMAIN, TOUT KERMELLEC SAURA L'HEURE DE MON DÉPART ! MAIS, BASTE... LA MORT DE MA COUSINE NE SERA PAS DÉCOUVERTE AVANT LE MATIN ...

ET D'ICI LÀ, JE SERAI LOIN !

PORTEZ TOUS MES RESPECTS À MONSIEUR DE LA MOTTE !

JE N'Y MANQUERAI PAS, COMMANDANT ! ET JE LUI FERAI PART DE VOTRE... EFFICACITÉ !

MORBLEU ! SI MONSEIGNEUR COMPTE SUR CET ÂNE POUR ATTRAPER KERMEUR, IL A DU SOUCI À SE FAIRE !

CAROFF A RAISON ! CETTE OPÉRATION EST UNE FOLIE ! JE NE SAIS MÊME PAS SUR QUELLE AIDE JE POURRAI COMPTER SUR PLACE ?

ESPÉRONS QUE LE RAPPEL DU PASSÉ ET QUELQUES PIÈCES D'OR SUFFIRONT À MOTIVER LES GARS...

31

C'EST ICI, MONSEIGNEUR! DE L'AUTRE CÔTÉ DE L'ANSE, JUSTE EN FACE DE NOUS... LE REPAIRE DE L'ÉPERVIER! ...À PEINE 3/4 DE LIEUE PAR LA CÔTE!

INUTILE DE DONNER L'ÉVEIL EN ALLANT PLUS AVANT! ARRÊTONS-NOUS ICI! QUE LES HOMMES DORMENT UN PEU! RÉVEIL À SIX HEURES! LES POSITIONS DEVRONT ÊTRE GAGNÉES POUR LE LEVER DU JOUR!

DU BOT! VOUS POSTEREZ DES GUETTEURS AUX ABORDS DE LA GROTTE! QU'ILS SURVEILLENT TOUT MOUVEMENT SUSPECT! ALLEZ! EXÉCUTION! ET EN SILENCE SURTOUT!

À VOS ORDRES!

EH BIEN! SI KERMEUR S'AVISE À PRÉSENT DE PASSER DEVANT CAMARET, IL VA SE... HEIN?... QU'EST-CE QUE...

UN CHEVAL EN TRAVERS?

ARGH!?

TUDIEU! LA BELLE CHUTE! REGARDONS À QUI J'AI AFFAIRE.

?! LE QUEC? L'ÂME DAMNÉE DU MARQUIS DE LA MOTTE?

MILLE DIABLES! J'AI EU RAISON DE ME MÉFIER DE CE CAVALIER SOLITAIRE, REVENANT DE CAMARET À PAREILLE HEURE!

VOYONS CE QUI LE FAISAIT GALOPER SI VITE?

TIENS, TIENS? UN SAUF-CONDUIT. VOILÀ QUI PEUT M'ÊTRE DIABLEMENT UTILE... ET LÀ? BIGRE! UN MESSAGE DE LANVÉOC... SIGNÉ DE LA MOTTE, ET... DATÉ D'AUJOURD'HUI!

CELA CONFIRME TOUS MES SOUPÇONS!

32

CETTE FOIS, PLUS DE DOUTE! CET ENRAGÉ DE MARQUIS A LANCÉ UNE ATTAQUE EN RÈGLE CONTRE MOI. ET, D'APRÈS SON MESSAGE, IL N'A PAS LÉSINÉ SUR LES EFFECTIFS!

JE DEVRAIS ME SENTIR FLATTÉ!

RESTE... QUE LE FORT ÉTANT PRÉVENU, JE VAIS TOMBER EN PLEIN BRANLE-BAS. LA TÂCHE N'EN SERA QUE PLUS DANGE-REUSE... À MOINS QUE...

...J'AI PEUT-ÊTRE UNE IDÉE!

Y'EN A ENCORE POUR LONGTEMPS?

DISONS... TROIS PIPES! LE BRAI EST CHAUD. ET DÈS QUE J'AURAI FINI D'ÉTOUPER, LOUARN Y PASSERA LE BOUCHON!

BIEN! BIEN! AVEC ÇA, QU'ON A PRATIQUEMENT ACHEVÉ LE CHARGEMENT DU "CORMORAN" ET FINI DE MINER LES ALENTOURS DE LA GROTTE, ON DEVRAIT ÊTRE PRÊTS À L'HEURE!

?

DIS DONC! ÇA A PAS L'AIR DE T'INTÉRESSER?

JE ME TRACASSE POUR YANN. S'IL DOIT DEMANDER L'AIDE DES FRÈRES POULIQUEN, L'AURA INTÉRÊT À AVOIR DES YEUX DANS LE DOS! ILS ONT JURÉ D'AVOIR SA PEAU!

"LES FRÈRES POULIQUEN? MORT DE MA VIE! ME DIS PAS QU'IL VA UTILISER À NOUVEAU CES FILS DE PUTE. J'AI JAMAIS VU DES TORDUS PAREILS!"

"IL A PAS TELLEMENT D'AUTRES POSSIBILITÉS. CE SONT LES SEULS QUI S'Y CONNAISSENT EN EXPLOSIFS!..."

DEBOUT! LES FRÈRES! WAR-ZAO!

ALORS, JOB! TU ME RECONNAIS?

GAST! AR SPARFELL?!

L'ÉPERVIER!?

33

35

CE FUMIER A OSÉ ENTRER ICI ?

ARZEL! KADOU! ATTRAPEZ-MOI CE PORC, QU'ON L'ÉTRIPE !

BOUGEZ PAS, VOUS AUTRES ! UN PAS DE PLUS ET JE FAIS SAUTER SA VILAINE CABOCHE !

ENLÈVE TES PIEDS DE CHEZ MOI, L'ÉPERVIER ! JE T'AI PAS INVITÉ !

J'AI UN TRAVAIL À TE PROPOSER, JOB !

TON TRAVAIL, ON N'EN A RIEN À FOUTRE, BASTARD ! **ER-MEZ !** [1] FOUS LE CAMP !

IL Y A BEAUCOUP D'OR À GAGNER !

(1) DEHORS !

DE L'OR ?

YA ! BEAUCOUP D'OR POUR TOI ET TES FRÈRES !

JE SAVAIS QU'EN TE PRENANT PAR LES SENTIMENTS ...

MONTRE !

DEUX HEURES PLUS TARD ...

LE FEU ! ALERTE AU FEU !

REGARDEZ, COMMANDANT ! LA CALE ET LES BARAQUEMENTS SONT EN FLAMMES **ET LE VENT SOUFFLE VERS LA VILLE !**

DÉPÊCHEZ TOUS LES HOMMES POUR COMBATTRE L'INCENDIE ! VITE !

HI, HI, HI ! LONGTEMPS QUE JE M'ÉTAIS PAS AMUSÉ COMME ÇA ! HI, HI, HI ! COMME AU BON VIEUX TEMPS !

APPROCHE POINT TANT DES FLAMMES, CALE-À-VIN ! T'Y VAS RÔTIR TA COUENNE !

L'ÉPERVIER M'EN PAIERA UNE NOUVELLE ! HI, HI, HI !

SELL! A-ZEO! [1] LES BATEAUX !

SIOUL! [2]

(1) LÀ ! À DROITE ! (2) SILENCE !

34

KADOU! EMPARE-TOI DU "SAINT-JOSEPH" AVEC TES GARS. ÉLOIGNE-LE VITE, AVANT QU'ON FASSE TOUT SAUTER!

EH BIEN, MON GARS, VOILÀ UNE BELLE PANIQUE!

ATTENDS! TE PRESSE PAS! LAISSONS-LES TOUS SORTIR!

HON DOUÉ! PRESSEZ-VOUS!

DES SEAUX! IL FAUT PLUS DE SEAUX!

PAR ICI! DANS LES BARQUES!

HOLÀ SENTINELLE! MESSAGE URGENT POUR MONSIEUR DU FAOUEDIC!

DESCENDEZ DE CHEVAL ET VENEZ ME MONTRER VOTRE SAUF-CONDUIT!

TOUT EST EN RÈGLE! JOSSE VA VOUS MENER AU COMMANDANT.

LE PLUS TÔT SERA LE MIEUX!

LE PONT-LEVIS EST REMONTÉ, CAP'TAINE, ET LE PORTIER LIGOTÉ! LE FORT EST À NOUS!

PRESQUE! MONTE AU DERNIER ÉTAGE ET BARRICADE LA PORTE. INUTILE QUE LES SENTINELLES NOUS PRENNENT PAR DERRIÈRE DURANT NOTRE TRAVAIL!

APRÈS VOUS, COMMANDANT! ET PAS D'EMBROUILLES, VU? MÊME AVEC UNE BALLE DANS LE BRAS, VOUS CONTINUEREZ À FAIRE UN EXCELLENT OTAGE!

KERMEUR, VOUS ÊTES UNE ORDURE!

OH! LE VILAIN LANGAGE!

ALLEZ! HÂTONS-NOUS D'ENCLOUER CES MAUDITS CANONS!

EH BIEN, COMMANDANT! IL ME SEMBLE QUE VOUS DEVREZ VOUS PASSER DE VOS 36 PENDANT UN CERTAIN TEMPS.

GIBIER DE POTENCE! CANAILLE!

HI, HI, HI, IL VOUS FAUDRA DES SEMAINES POUR LES REMETTRE EN ÉTAT!

JE ME VENGERAI, KERMEUR! UN JOUR, JE VOUS TUERAI!

EN ATTENDANT CE JOUR BÉNI, PRIEZ PLUTÔT LE CIEL QUE LES ANGLAIS N'EN PROFITENT PAS POUR ATTAQUER LE FORT PENDANT QU'IL EST SANS DÉFENSE!

VITE, CAP'TAINE! ON S'IMPATIENTE DEHORS!

ENCORE DEUX... ET C'EST FINI!

BELLE-ROSE L'EST DEVENU FOU OU QUOI? POURQUOI L'A RELEVÉ LA PORTE!

PAR LE DIABLE! QUE SE PASSE-T-IL LÀ-DERRIÈRE?

37

EH BIEN, JOB? ON PEUT SAVOIR CE QUI TE PREND ?

OÙ EST CET OR QU'TU NOUS AS PROMIS ?

N'EN AVEZ-VOUS PAS DÉJÀ EU VOTRE PART ?

C'EST PAS ASSEZ !

POUR LE RESTE, IL FAUDRA ATTENDRE ROCH AN ANKOU !

C'EST PAS C'QUI ÉTAIT CONVENU !

C'EST CE QUI ÉTAIT CONVENU, JOB ! TU LE SAIS ! ME CROIS-TU ASSEZ FOU POUR VOUS PAYER TOUTE LA SOMME À L'AVANCE ?

JE POURRAIS TE TUER, TOUT DE SUITE, ÉPERVIER !

YA ! CRÈVE CE SALAUD, JOB ! CRÈVE-LE !

Y'A DU SANG ENTRE NOUS, AR SPARFELL ! C'EST LE MOMENT DE LE LAVER !

TU N'AS QU'UNE SEULE BALLE, JOB ! ENSUITE CALE-À-VIN ET MES GARS T'OCCIRAIENT À LEUR TOUR !

POUR SÛR ! ET AVEC GRAND PLAISIR ! TU PEUX L'ACCROIRE !

ET TU N'AURAIS PLUS D'OR, JOB ! PLUS JAMAIS !

RÉFLÉCHIS !

LES SOLDATS DU FORT ? FOUTREBLEU ! Y NOUS CANARDENT !

ASSEZ PERDU DE TEMPS ! TOUT LE MONDE À LA MANŒUVRE ! PARE À HISSER LES VOILES !

ET TOI, VIEILLE MULE, RENGAINE TON ARME ! L'HEURE N'EST PLUS AUX QUERELLES !

PAW

PAW

PAW

PAW

T'AS GAGNÉ... POUR L'INSTANT ! MAIS PRENDS GARDE ! J'AI L'ŒIL SUR TOI ! ET SI TU ME TROMPES...

ALLEZ ! PRENDS TA PLACE !

39

WAOOHHH... QUELLE NUIT !...

?

LÀ-HAUT! **SUR LA FALAISE** !

IL FAUT STOPPER LE CHARGEMENT ET APPAREILLER TOUT DE SUITE ! SINON, DANS VINGT MINUTES "L'HIRONDELLE" NE PASSERA PLUS LA VÔUTE ...

ET ABANDONNER TOUT CE QUI RESTE ENCORE ?

LES NAVIRES SONT DÉJÀ BOURRÉS JUSQU'À LA GUEULE! IMPOSSIBLE DE LES CHARGER DAVANTAGE SANS RISQUER D'ACCROCHER LE FOND. YANN COMPRENDRA.

SI ON LE REVOIT UN JOUR. MORDIABLE ! SON RETARD COMMENCE À M'INQUIÈTER !

DE TOUTE MANIÈRE...ON PEUT PLUS ATTENDRE.SI ON VEUT PARTIR AVEC LA MARÉE, C'EST MAINTENANT...

ALERTE !

UNE FORTE TROUPE EST MASSÉE SUR LA FALAISE EN FACE DE NOUS !

BON SANG! YANN AVAIT VU JUSTE !

SACREBLEU!

VOILÀ QUI RÈGLE LA QUESTION DU DÉPART !

TOUS LES HOMMES SONT À LEUR POSTE, MONSEIGNEUR !

PARFAIT! PENHOET, PRENEZ PIED SUR LA PRESQU'ÎLE AVEC VOTRE DÉTACHEMENT ET TÂCHEZ DE GAGNER LE REPAIRE DE CES PIRATES POUR LES PRENDRE À REVERS !

BIEN. MONSIEUR!

40

MAIS MONSEIGNEUR... NOUS N'ATTENDONS PAS LES RENFORTS DE CAMARET ?

LA PAIX, DU BOT ! IL N'EST PLUS TEMPS D'ATTENDRE. NOUS ALLONS DÉLOGER CES RATS DE LEUR TROU.

MESSIEURS, PRÉPAREZ-VOUS AU COMBAT !

ÉVACUEZ LA GROTTE ! AUX POSTES D'APPAREILLAGE !

OUAIS ! DÉSORMAIS, PLUS D'ÉCHAPPATOIRE. FAUT GAGNER LA MER TANT QU'ELLE EST ENCORE LIBRE.

ET ESPÉRER QU'ELLE LE RESTE !

D'ABORD LES CANOTS ! ENSUITE "L'HIRONDELLE" ET LE "CORMORAN" EN SERRE-FILE !

PARE À LARGUER LES AMARRES !

EMBARQUEZ, DEMOISELLE !

ET FAITES UNE PRIÈRE... SI VOUS EN SAVEZ UNE ! À PRÉSENT, SEUL UN MIRACLE PEUT NOUS SAUVER !...

J'ESCOMPTE MOINS EN L'INTERVENTION DIVINE QU'EN CELLE DE L'ÉPERVIER !

BRAOOM

CRAKK

UN CANON ? CES ORDURES ONT **UN CANON** ?

QUELLE HORREUR !

AH! LE JOLI COUP !

TUDIEU! ÇA C'EST, ENVOYÉ !

REMETTEZ LA PIÈCE EN BATTERIE !

AH, AH, AH ! VOILÀ QUI VA REFROIDIR L'ARDEUR DE CES CHIENS !

COMMENT ÇA, ON PART QUAND MÊME ? TU TIENS À NOUS FAIRE TUER ?

LA MORT...C'EST ICI QUE TU LA TROUVERAS, SI ON NE PART PAS DANS LES CINQ MINUTES. ET CE CANON N'Y CHANGE RIEN !...

JE SUIS DE L'AVIS DE CAROFF ! AU MOINS, CERTAINS D'ENTRE NOUS PEUVENT ESPÉRER PASSER PENDANT QU'ILS RECHARGENT LEUR ENGIN !

ET PUIS... TANT QU'À CREVER, AUTANT QUE CE SOIT DEHORS, À L'AIR LIBRE !

ON NE DISCUTE PLUS !

LES CANOTS DEVANT POUR ATTIRER LEUR FEU ! UNE FOIS PASSÉE LA VOÛTE, **ON S'ÉCARTE** !

REGARDEZ MONSEIGNEUR ! ILS TENTENT UNE NOUVELLE SORTIE !

LES IMBÉCILES ! ILS ESSAYENT DE PASSER EN FORCE !

FEU!

42

44

NON! ATTENDEZ!

LAISSEZ-LES S'AVANCER UN PEU PLUS!... VOILÀ... ALLEZ-Y!

POINTEZ!

AU BOUTEFEU!

BRAOOMM

?

MAUDITS!...

MAUDITS!

? C'EST COMME SI LEUR CANON AVAIT EXPLOSÉ?

BON SANG! J'AI PAS RÊVÉ, QUELQU'UN A BIEN PLONGÉ DE LA FALAISE?

ALERTE! VOILE À BÂBORD, DROIT SUR NOUS! UN GARDE-CÔTE!

43

MALLOZ DOUÉ! IL NOUS BARRE LA ROUTE!

LES PIERRIERS EN BATTERIE! **PRÉPAREZ-VOUS AU COMBAT!**

? REGARDEZ! **SON PAVILLON?**

L'ÉPERVIER?

YANN! C'EST YANN!

Y PEUT S'VANTER D'NOUS AVOIR FLANQUÉ UNE BELLE TROUILLE!

POURSUIVEZ SUR VOTRE ERRE! JE PROTÈGE VOS ARRIÈRES ET JE RÉCUPÈRE LES CANOTS!

REGROUPEMENT À LA POINTE DU TOULINGUET!

CETTE CHALOUPE... ON DIRAIT?.. ELLE VIENT À LEUR SECOURS!

MAIS TIREZ SUR EUX, IMBÉCILES! **EMPÊCHEZ-LES DE FUIR!**

C'EST QUE... ILS SONT DÉJÀ HORS DE PORTÉE!

ALORS, **TROUVEZ DES BARQUES! POURSUIVEZ-LES** ET RAMENEZ-LES MOI! QU'ON EN FINISSE!

BON SANG, CAPITAINE, PAS FÂCHÉ DE VOUS REVOIR!

DÉPÊCHEZ-VOUS D'EMBARQUER!

?! YANN! SUR TRIBORD, UN HOMME À LA MER!

FRÈRE ÉPERVIER, DIRIGE ICI TON REGARD!

? DIEU TOUT-PUISSANT! **CETTE VOIX?**

CEPENDANT, À DES LIEUES DE LÀ...

AAAHHHH

OH! MADAME... MADAME!

PERRINE, QUE SE PASSE-T-IL? **OH!**

MON DIEU, VALENTIN. TOUT CE SANG!...

44

AU MÊME INSTANT, À L'ENTRÉE DE RECOUVRANCE...

SCÉNARIO - DESSINS - COULEURS - Patrice PELLERIN

FiN 46